Ce livre appartient à

_____

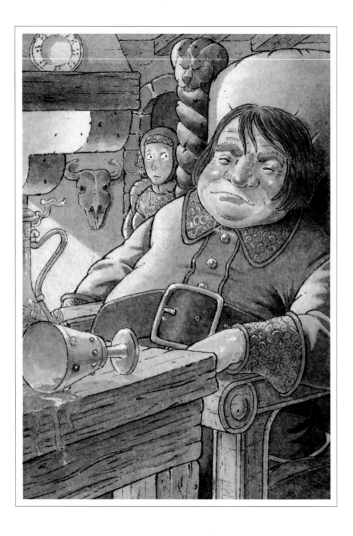

Le Petit Poucet

D'APRÈS

Ch. Perrault

ILLUSTRATIONS

Serge Ceccarelli

Mango

© 1995 Éditions Mango
Dépôt légal : janvier 1995
ISBN : 2 7404 0457-3
Impression Publiphotoffset - 93500 Pantin

Le Petit Poucet

Il était une fois un bûcheron et une bûcheronne
qui avaient sept garçons. L'aîné avait dix ans, et
le plus jeune, sept. Ils étaient fort pauvres, et
aucun de leurs enfants ne pouvait encore gagner
sa vie. Le plus jeune était délicat et ne disait mot.
Il était fort petit et, quand il vint au monde,
il n'était guère plus gros que le pouce, ce qui fit
qu'on l'appela le Petit Poucet. Cependant,
il était le plus avisé de tous ses frères et, s'il parlait
peu, il écoutait beaucoup.

Il vint une année où la famine fut si grande que ces pauvres gens résolurent de se défaire de leurs enfants. Un soir que les enfants étaient couchés, le bûcheron dit tristement à sa femme :

— Tu vois bien que nous ne pouvons plus nourrir nos enfants. Je ne saurais les voir mourir de faim, et je suis résolu de les mener perdre demain au bois et, tandis qu'ils s'amuseront à fagoter, nous fuirons sans être vus.

— Ah ! s'écria la bûcheronne, pourrais-tu bien toi-même mener perdre tes enfants ?

Elle ne pouvait y consentir : elle était pauvre, mais elle était leur mère. Cependant, le bûcheron fit tant qu'il persuada la pauvre femme.

Le Petit Poucet entendit tout ce qu'ils dirent, car il s'était levé doucement et s'était glissé sous l'escabelle de son père pour écouter sans être vu.

Il ne dormit point, songeant à ce qu'il avait à faire.

Il se leva de bon matin et alla au bord d'un ruisseau, où il emplit ses poches de cailloux blancs.

Puis le bûcheron mena ses enfants dans
une forêt fort épaisse, où l'on ne se voyait pas
l'un l'autre à dix pas.
Alors que le Petit
Poucet et ses frères
ramassaient des
broutilles, le père
et la mère, les voyant
occupés, s'éloignèrent
d'eux et s'enfuirent par
un sentier détourné.

Lorsque les enfants se virent seuls, ils se mirent
à pleurer de toute leur force. Le Petit Poucet
les laissait crier, sachant bien par où il reviendrait
à la maison : car il avait laissé tomber le long
du chemin les petits cailloux blancs. Il leur dit :
— Ne craignez point, mes frères, je vous
ramènerai au logis, suivez-moi.

Ils le suivirent, et il les mena jusqu'à leur
maison. Ils n'osèrent pas entrer et se mirent tous
contre la porte pour écouter ce que disaient
leurs parents.

Lorsque le bûcheron et la bûcheronne arrivèrent chez eux, le seigneur du village leur envoya dix écus qu'il leur devait depuis fort longtemps. Le bûcheron envoya sa femme à la boucherie. Comme il y avait longtemps qu'elle n'avait mangé, elle acheta trois fois plus de viande qu'il n'en fallait pour deux personnes. Lorsqu'ils furent rassasiés, la bûcheronne dit :

— Hélas ! où sont maintenant nos pauvres enfants ? Ils feraient bonne chère de ce qui nous reste là. Que font-ils maintenant dans cette forêt ?

Elle le dit si haut que les enfants, derrière
la porte, l'ayant entendu, crièrent ensemble :
— Nous voilà !
Elle courut leur ouvrir la porte, et leur dit
en les embrassant :
— Que je suis aise de vous revoir, mes chers
enfants ! Vous êtes bien las et vous avez bien faim !

Ils se mirent à table et mangèrent d'un appétit
qui faisait plaisir au père et à la mère. Ces bonnes
gens étaient ravis de revoir leurs enfants, et cette
joie dura tant que les dix écus durèrent.

Mais lorsque l'argent fut dépensé, ils résolurent de les perdre encore et, pour ne pas manquer leur coup, de les mener bien plus loin que la première fois. Ils furent entendus par le Petit Poucet, qui fit son compte de sortir d'affaire comme il l'avait déjà fait. Mais, il ne put ramasser des petits cailloux, car il trouva la porte de la maison fermée à double tour. Toutefois la bûcheronne leur ayant donné à chacun un peu de pain pour leur déjeuner, il laissa tomber des miettes le long des chemins où ils passaient. Le père et la mère les menèrent dans l'endroit de la forêt le plus épais et le plus obscur et, dès qu'ils y furent, ils s'enfuirent et les laissèrent là. Le Petit Poucet ne s'en chagrina point : il croyait retrouver aisément son chemin grâce aux miettes qu'il avait semées. Mais les oiseaux étaient venus et avaient tout mangé. Plus ils marchaient, plus ils s'enfonçaient dans la forêt. La nuit vint, et, terrorisés, ils croyaient entendre les loups de tous côtés.

Le Petit Poucet grimpa
au haut d'un arbre pour voir
s'il ne voyait rien. Ayant
tourné la tête de tous
côtés, il vit au loin
une petite lueur comme
celle d'une chandelle. Il marcha quelque temps
avec ses frères du côté où il avait vu la lumière,
et ils arrivèrent enfin à la maison où était cette
chandelle. Ils heurtèrent à la porte, et une bonne
femme vint leur ouvrir. Elle leur demanda ce
qu'ils voulaient. Le Petit Poucet lui dit qu'ils
s'étaient perdus et qu'ils demandaient l'hospitalité.

Cette femme, les voyant ainsi, se mit à pleurer :
— Hélas, mes pauvres enfants, où êtes-vous venus ?
Savez-vous que c'est ici la maison d'un ogre
qui mange les petits enfants ?
— Hélas ! madame, lui répondit le Petit Poucet,
qui tremblait tout autant que ses frères, que ferons-
nous ? Les loups de la forêt nous mangeront
cette nuit, si vous ne nous hébergez
pas. Et, cela étant, nous
aimons mieux que
ce soit votre mari qui
nous mange. Peut-être
qu'il aura pitié de nous,
si vous voulez bien
l'en prier.

La femme de l'ogre crut qu'elle pourrait
les cacher à son mari. Elle les laissa entrer
et les mena près du feu.

Comme ils commençaient à se chauffer,
on heurta à la porte : c'était l'ogre. Aussitôt,
sa femme les fit cacher sous le lit et alla ouvrir.
L'ogre demanda si le souper était prêt puis se mit
à table. Alors qu'il mangeait, il flairait
à droite et à gauche, disant qu'il sentait la chair
fraîche. Il se leva de table et alla droit au lit.
— Ah, dit-il, tu veux me tromper, maudite
femme ! Voilà qui me vient bien à propos
pour traiter trois ogres de mes amis qui doivent
venir me voir ces jours-ci.

Les pauvres enfants l'implorèrent, mais déjà
l'ogre les dévorait des yeux en disant que
ce seraient là de friands morceaux. Il alla prendre
un grand couteau et, en approchant des enfants,
il l'aiguisait sur une longue pierre. Il en avait déjà
empoigné un, lorsque sa femme lui dit :
— Mais vous avez encore là tant de viande !
Voilà un veau, deux moutons
et la moitié d'un cochon !
— Tu as raison, dit l'ogre. Donne-leur à souper,
afin qu'ils ne maigrissent pas et va les mener
coucher.

La bonne femme fut ravie, et leur porta à souper, mais ils ne purent manger, tant ils étaient saisis de peur. L'ogre, heureux d'avoir de quoi régaler ses amis, but plus qu'à l'ordinaire et alla se coucher.

L'ogre avait sept filles. Ces petites ogresses avaient toutes le teint fort beau parce qu'elles mangeaient de la chair fraîche comme leur père. Mais elles avaient de petits yeux gris, le nez crochu et une fort grande bouche avec de longues dents. On les avait fait coucher de bonne heure, et elles étaient toutes sept dans un grand lit, ayant chacune une couronne d'or sur la tête. Il y avait dans la chambre un autre lit de la même grandeur, où la femme de l'ogre coucha les sept garçons. Après quoi, elle alla auprès de son mari.

Le Petit Poucet craignait qu'il ne prît à l'ogre
quelque remords de ne pas les avoir égorgés
dès le soir même. Ayant remarqué que les filles
de l'ogre avaient des couronnes d'or, il eut l'idée
d'aller les échanger contre les bonnets de ses frères.
La chose réussit, comme il l'avait pensé.

L'ogre, s'étant éveillé sur le minuit, prit
son grand couteau et s'approcha à tâtons du lit
où étaient les petits garçons, qui dormaient tous,
excepté le Petit Poucet.

Et, ayant senti les couronnes d'or, il alla
ensuite au lit de ses filles, sentit les bonnets
des garçons et coupa ainsi la gorge à ses sept filles.
Fort content, il alla se recoucher auprès de
sa femme. Aussitôt que le Petit Poucet entendit
ronfler l'ogre, il réveilla ses frères et leur dit de
le suivre. Une fois dehors, ils coururent presque
toute la nuit, toujours en tremblant et sans savoir
où ils allaient.

L'ogre, s'étant éveillé, s'aperçut de sa terrible méprise :

— Ah ! qu'ai-je fait là ? s'écria-t-il. Ils me le payeront, les malheureux, et tout à l'heure.

Il pria sa femme de lui donner ses bottes de sept lieues et il se mit en campagne. Après avoir couru de tous côtés, enfin il entra dans le chemin où marchaient ces pauvres enfants, qui n'étaient plus loin du logis de leur père.

Ils virent l'ogre qui allait de montagne en montagne et qui traversait des rivières aussi

aisément que le moindre ruisseau. Le Petit Poucet fit cacher ses frères dans un rocher creux et s'y fourra aussi.

L'ogre, qui se trouvait fort las du long chemin qu'il avait fait, voulut se reposer. Il alla s'asseoir sur la roche où les petits garçons s'étaient cachés. Il s'endormit et vint à ronfler si effroyablement que les enfants n'en eurent pas moins de peur que quand il tenait son couteau. Le Petit Poucet dit à ses frères de s'enfuir promptement à la maison et de ne pas s'inquiéter pour lui.

Il tira doucement
les bottes de l'ogre et
les mit aussitôt. Les bottes
étaient fort larges mais
elles étaient magiques,
de sorte qu'elles furent
aussi justes à ses pieds
que si elles avaient été
faites pour lui.

Il alla à la maison
de l'ogre, où il trouva
sa femme qui pleurait
auprès de ses filles.

— Votre mari, lui dit le Petit Poucet, est en grand danger car il a été pris par une troupe de voleurs qui ont juré de le tuer s'il ne leur donne pas tout son or. Dans le moment qu'ils lui tenaient le poignard sur la gorge, il m'a aperçu et m'a prié de venir vous avertir de l'état où il est et de vous dire de me donner tout ce qu'il a, parce qu'autrement ils le tueront.

La bonne femme, fort effrayée, lui donna aussitôt tout ce qu'elle avait. Le Petit Poucet, chargé de toutes les richesses de l'ogre, s'en revint au logis de son père, où il fut reçu avec bien de la joie.

Il y a bien des gens qui prétendent que le Petit Poucet n'a jamais fait ce vol à l'ogre. Ils assurent que, lorsque le Petit Poucet eut chaussé les bottes de l'ogre, il s'en alla à la Cour, où il savait que l'on était fort en peine d'une armée qui était à deux cents lieues de là. Il alla, disent-ils, trouver le roi et lui dit qu'il pouvait lui rapporter des nouvelles de l'armée avant la fin du jour. Le roi lui promit une grosse somme d'argent s'il réussissait.

Le Petit Poucet rapporta des nouvelles dès le soir même et, cette première course l'ayant fait connaître, il gagnait tout ce qu'il voulait, car le roi le payait parfaitement bien. Après avoir ainsi amassé beaucoup de biens, il revint chez son père, où il n'est pas possible d'imaginer la joie qu'on eut de le revoir.